CAZAPALABR

ITAL

150 JUEGOS PARA APRENDER DIVIRTIÉNDOTE

CAZAPALABRAS EN
ITALIANO

Autora: Anna Bristot
Traducción: Raquel Ramal Márquez
Redacción: Eulàlia Mata Burgarolas
Asesora pedagógica: Ludovica Colussi
Diseño de cubierta: besada+cukar
Diseño de interior: one pm, Petra Michel, Stuttgart

ISBN: 978-84-8443-950-9
Depósito legal: B-6813-2012

Impreso en España por Lanoogràfica S.L.

C/ Trafalgar, 10, entlo. 1ª
08010 Barcelona
Tel. (+34) 93 268 03 00
Fax (+34) 93 310 33 40
editorial@difusion.com

www.difusion.com

¡ASÍ FUNCIONA!

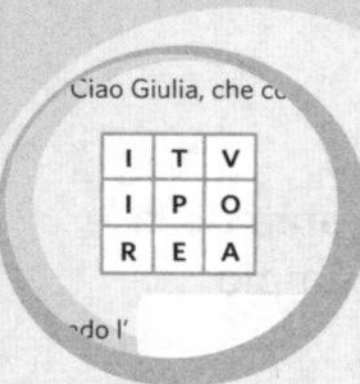

Anagrama

Ordena todas las letras que están dentro de las casillas y descubrirás la respuesta.

Anagrama "tarjeta de visita"

Pero, ¿qué es esto? Coloca las letras de la "tarjeta de visita" en el orden correcto y... ahí está, la solución.

Sopa de letras

¿Dónde se esconden? Busca (¡y encuentra!) en la sopa de letras las palabras ocultas sobre algún tema concreto.

¡Una intrusa!

Encuentra la palabra que se ha colado. Una de las cuatro palabras de la serie no encaja con las demás.

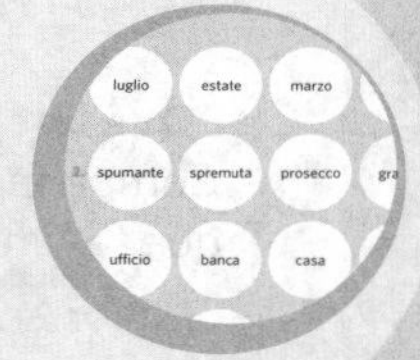

Pronunciación

Pronuncia en voz alta el nombre de cada objeto de la serie y encuentra el que no encaja por su pronunciación.

Crucigrama

¡In italiano, per favore! Apunta dentro de las casillas la traducción en italiano de las palabras españolas que se indican.

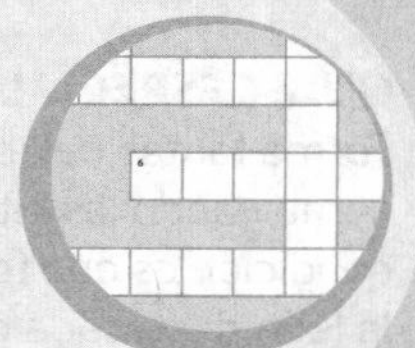

¿Lógico?

Completa la serie con una palabra de la misma categoría que la del ejemplo.

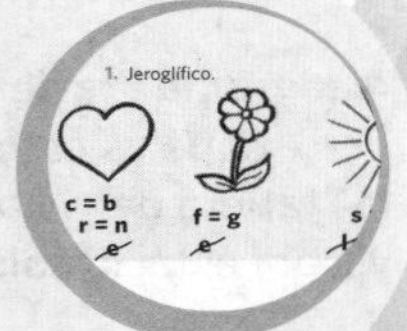

Jeroglífico

¿Cómo se llaman los dibujos en italiano? Sustituye o tacha las letras tal como se indica y obtendrás la solución.

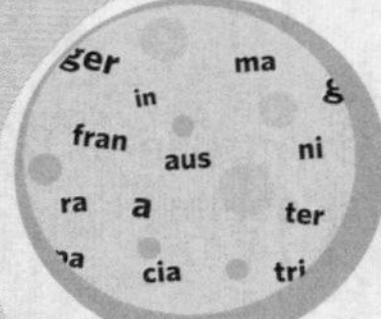

Si-lá-bi-co

Une las sílabas formando palabras correctas

¿Qué falta?

Completa las palabras con las letras que faltan.

Juego de contrarios

Relaciona cada palabra con su antónimo.

QUIZZ ESPECIAL: Remolino de palabras

Forma tantas palabras como puedas combinando las letras entre sí. La única condición es que todas deben contener la letra destacada del centro.

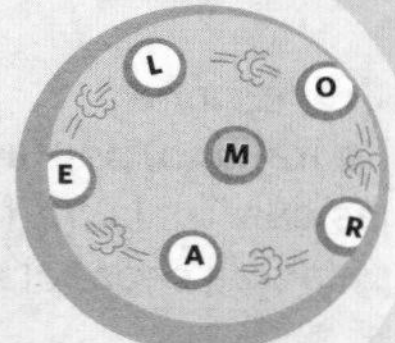

1. Jeroglífico.

c = b
r = n
~~**e**~~

f = g
~~**e**~~

s = n
~~**l**~~ ~~**e**~~

2. Jeroglífico.

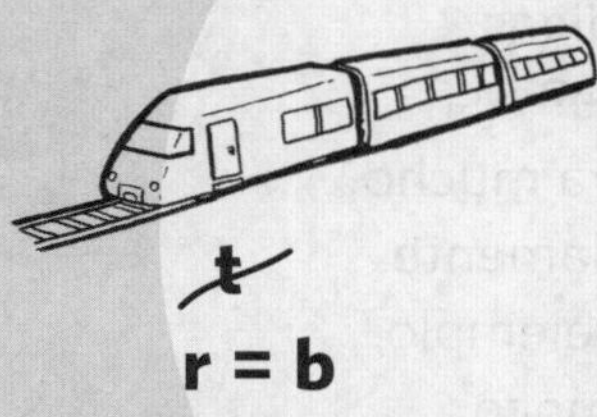

~~**t**~~
r = b
~~**o**~~

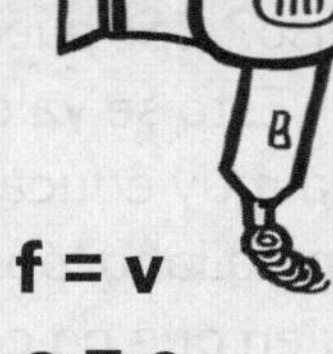

f = v
o = e

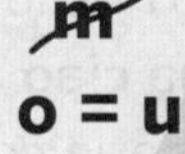

~~**m**~~
o = u

1. buongiorno
2. benvenuto

Cuando un italiano, con quien no tienes mucha confianza, te invita a su casa es mejor que antes de entrar siempre digas **Permesso?** *¿Con permiso?, ¿Se puede?* Así darás mejor impresión. Esto se valora mucho en Italia ya que se trata muy educadamente a los desconocidos. Un italiano, por ejemplo, nunca diría **ciao** a alguien que no conoce, cosa que sería como tutearle, sino que le saludaría con **buongiorno** o **buonasera** y se despediría con **arrivederci**.

EN EL REMOLINO

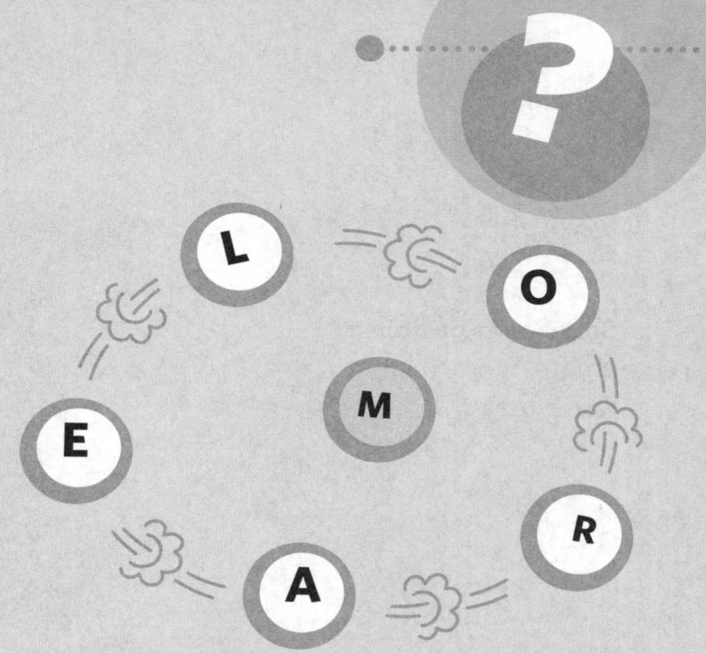

Roma,

Si no estás seguro de que existe una palabra, búscala en un diccionario.

Soluciones posibles:
amore, mora, mela, ramo, male, ...

Tutte le strade portano a Roma. *Todos los caminos llevan a Roma.* Con las ciudades se emplea la preposición **a**, no importa si estás en una ciudad o te diriges a ella:
Sono / Vado a Roma.
Si quieres expresar de qué ciudad eres, emplea la preposición **di** junto con el verbo **essere**: **Sono di Pordenone.**

LOS CONTRARIOS

grande

bello

vero

freddo

moderno

facile

antico

falso

caldo

piccolo

difficile

brutto

grande — piccolo
bello — brutto
vero — falso
freddo — caldo
moderno — antico
facile — difficile

El italiano, al igual que el español, ofrece muchas posibilidades para expresar el superlativo. Si hace mucho frío, p.ej., puedes decir:
Fa molto freddo o **Fa freddissimo.**
O, simplemente, puedes decir dos veces el adjetivo: **Fa freddo freddo.**
Y si un ejercicio es especialmente fácil:
Questo esercizio è facile facile.

ger ma gna ghil in

fran aus ni ze

ra a ter ra sviz

spa cia tri a

1. ______

2. ______

3. ______

4. ______

5. ______

6. ______

Germania
Inghilterra
Svizzera
Spagna
Francia
Austria

Mientras que con ciudades se emplea la preposición **a**, con países se utiliza la preposición **in**:
essere / andare in Italia *estar en Italia / ir a Italia*.
Sin embargo, existe un refrán popular que no contiene ninguna de estas preposiciones:
Paese che vai, usanze che trovi.
Allá donde fueres, haz lo que vieres.

NACIONALIDADES

1. Encuentra las nueve palabras ocultas.

B	P	O	L	A	C	C	O	S
C	R	T	Q	T	V	B	L	V
I	N	G	L	E	S	E	A	E
N	C	A	Z	D	L	L	N	D
T	P	U	E	E	O	G	D	E
U	R	U	S	S	O	A	E	S
G	R	L	I	C	S	G	S	E
G	R	E	C	O	H	S	E	H
S	P	A	G	N	O	L	O	R

B	P	O	L	A	C	C	O	S
C	R	T	Q	T	V	B	L	V
I	N	G	L	E	S	E	A	E
N	C	A	Z	D	L	L	N	D
T	P	U	E	E	O	G	D	E
U	R	U	S	S	O	A	E	S
G	R	L	I	C	S	G	S	E
G	R	E	C	O	H	S	E	H
S	P	A	G	N	O	L	O	R

¿No ha sido difícil, verdad? ¿Has encontrado las nueve nacionalidades? Como en español, no solo hacen referencia a las nacionalidades, también se refieren a los idiomas de las naciones:

Paolo è italiano.

Paolo parla l'italiano, l'inglese e lo spagnolo.

En italiano, la palabra **lingua** también significa, como en español, *idioma* o *lengua* indistintamente.

PRONUNCIACIÓN

1. Encuentra la pronunciación que no encaja.

2. Encuentra la pronunciación que no encaja.

1. **gelato** no encaja en la serie porque, al contrario de **fungo**, **spaghetti** y **lago**, contiene un sonido sonoro [ʤ].
2. **gatto** no encaja en la serie porque aquí **g** no se pronuncia sonora como en **giornale**, **orologio**, **valigia**.

La **g** se pronuncia delante de **a**, **o** y **u** como en español. Sin embargo, delante de **e** y de **i** equivale al sonido [ʤ], que no existe en español. Se pronuncia como la **j** en la palabra inglesa *jogging*.

La **g**, cuando se añade una **h** delante de **e** y de **i**, se pronuncia como el grupo español **gu**e/ **gu**i .

Cuando **gi** se encuentra delante de **a**, **o** o **u** (**gia**, **gio**, **giu**) no se pronuncia la **i**. Esto nos indica que la **g** debe pronunciarse como se pronuncia delante de **e** y de **i,** es decir [ʤ].

1. Che lavoro fa il signor Antenne?

Sig. Antenne

2. Che lavoro fa il signor Goto?

F. Afro Goto

3. Che lavoro fa la signora Terea?

Sig. ra Terea

Solución

1. insegnante
2. fotografo
3. segretaria

Como en español, los nombres de profesiones terminados en **-ante** o **-ista** tienen la misma forma en masculino y femenino, son invariables:

l'insegnante
il/la dentista
il/la farmacista
il/la cantante

Igualmente, en italiano solo existe la forma masculina para algunas profesiones que también ejercen mujeres, p. ej., **il medico**, **l'ingegnere**, **l'architetto**..

EN UN BAR

→

3. vino
4. bocadillo
6. cerveza
7. vaso
8. camarero

↓

1. taza
3. quisiera
5. beber

	1 T							
8 C	A	M	E	R	I	E	R	E
	Z							
	Z				3 V	I	N	O
4 P	A	N	I	N	O			
					R			5 B
		6 B	I	R	R	A		E
					E			R
7 B	I	C	C	H	I	E	R	E

En Italia pocas veces se paga por separado si vas a comer con alguien o vas a tomar algo en un bar. Si comes con un italiano y al final de la cena te dice **offro io**, quiere decir que le gustaría invitarte. Sin embargo, también es común **fare alla romana**, que consiste en que cada uno pague lo suyo, o que una persona pague la cuenta en el restaurante y luego se divida entre todos y se pague a partes iguales.

PEDIR

1. Ciao Giulia, che cosa prendi?

I	T	V
I	P	O
R	E	A

Prendo l' ______ della casa.

2. E tu Marco che cosa prendi da bere?

I	A	A
A	R	T
C	N	A

Io invece prendo un' ______

3. Aspetta. Vai alla cassa?

S	I	R
N	C	O
O	T	N

Devo fare lo ______

1. Prendo l'aperitivo della casa.
2. Io invece prendo un'aranciata.
3. Sì. Devo fare lo scontrino.

El **spritz**, originario de Venecia, es en Italia uno de los aperitivos más populares. Por cierto, no solo se llama *aperitivo* a la bebida, sino también a la costumbre de encontrarse con los amigos por la tarde o por la noche en un bar. Debido al gran surtido de tapas que se pueden tomar de aperitivo, el que se hace después de terminar la jornada de trabajo se ha convertido, sobre todo entre jóvenes, en un tipo de **cena veloce** *cena rápida*.

Spritz
1/3 di vino bianco
1/3 di acqua minerale frizzante
1/3 Bitter Campari o Aperol
1/2 fettina di limone o d'arancia

LOS CONTRARIOS

domanda

presto

giusto

buono

vero

bene

falso

cattivo

tardi

risposta

male

sbagliato

domanda — risposta
presto — tardi
giusto — sbagliato
buono — cattivo
vero — falso
bene — male

Buono y **bene** equivalen en español a *bueno* y *bien*. **Buono** es, por lo tanto, un adjetivo y determina a un nombre:

Questo tiramisù è molto buono.
Este tiramisú está muy bueno.
Sei stato buono oggi? *¿Has sido bueno hoy?*

Bene es un adverbio y determina al verbo que le precede:

Luca gioca bene a calcio. *Luca juega bien a fútbol.*

1. Encuentra la pronunciación que no encaja.

2. Encuentra la pronunciación que no encaja.

1. **cioccolata** no pertenece a la serie porque es la única palabra que contiene el sonido [tʃ]. **Caffè**, **chiave** y **macchina** tienen el sonido [k] en común.
2. **bicicletta** no pertenece a la serie porque es la única palabra que contiene el sonido [tʃ]. **Cuore**, **cuoco** y **zucchero** tienen el sonido [k] en común.

Delante de **a**, **o** y **u**, la **c** se pronuncia como en español en **coro**. Pero delante de **e** y de **i**, **c** se pronuncia como en español el grupo **che/chi** en **China** o **cheque**.
La **c** también puede sonar como [k] delante de **e** y de **i**. Para ello se escribe el infijo **h** y equivale al sonido español del dígrafo **qu** en **que/qui**. Cuando aparece **ci** delante de **a**, **o** o **u** (**cia**, **cio**, **ciu**) la **i** no se pronuncia. Esto nos indica que debe pronunciarse la **c** como se hace delante de **e** y de **i** [tʃ], como la **ch** en español.

1. panadería
2. médico
3. taxista

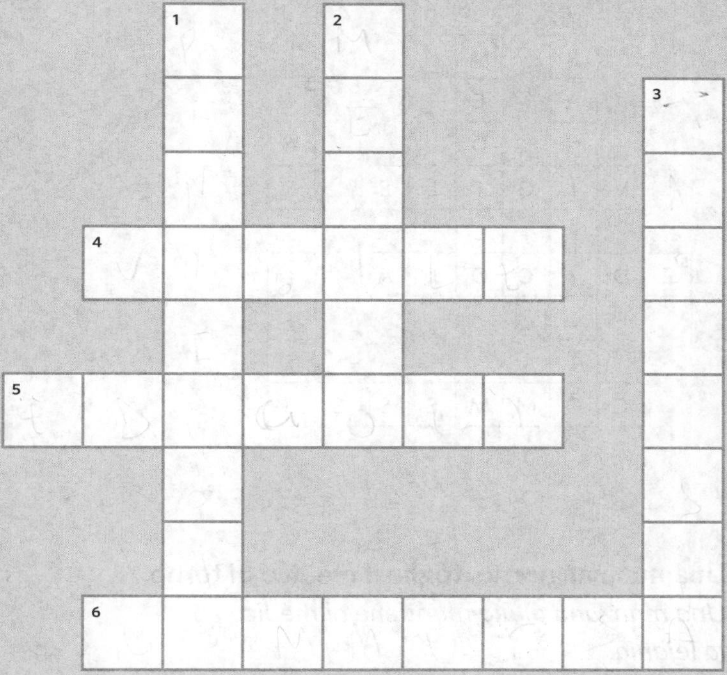

→

4. guardia urbano
5. quiosco
6. dependienta

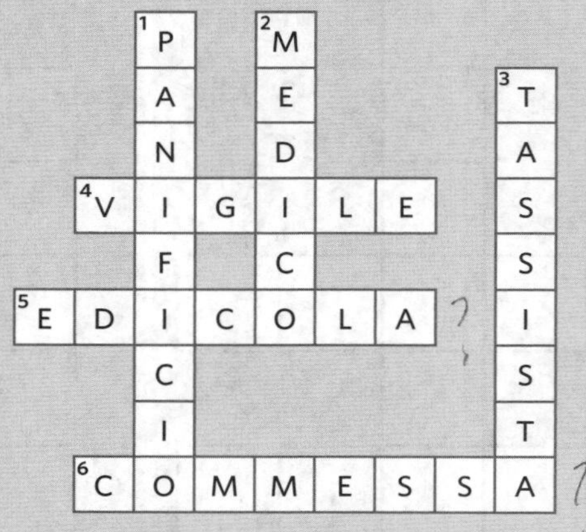

Una mela al giorno, toglie il medico di torno.
Una manzana al día mantiene al médico en la lejanía.
Por lo tanto, no vayas solo **dal panettiere** *a la panadería* y **dal macellaio** *a la carnicería*, sino también **dal fruttivendolo** *a la frutería y a la verdulería*. De esta manera, te ahorrarás tener que ir **dal medico** *al médico*.

EN EL QUIOSCO

ri li gior fu to

vis no fran met

lo ta di

na le ac to co

bol cen car na

1. ______________________________

2. ______________________________

3. ______________________________

4. ______________________________

5. ______________________________

6. ______________________________

rivista
giornale
fumetto
francobollo
accendino
cartolina

¿Sabes por qué los cómics en italiano se llaman **fumetti**?
La palabra **fumetto** proviene de **fumo** *humo* y se llamó así al cómic porque los bocadillos en los cómics parecen nubes de humo.

¡UNA INTRUSA!

1.	luglio	estate	marzo	ottobre
2.	spumante	spremuta	prosecco	grappa
3.	ufficio	banca	casa	impiegato
4.	mattina	sera	cielo	notte
5.	banana	cono	mela	pera

1. luglio ~~estate~~ marzo ottobre
2. spumante ~~spremuta~~ prosecco grappa
3. ufficio banca casa ~~impiegato~~
4. mattina sera ~~cielo~~ notte
5. banana ~~cono~~ mela pera

Marzo está un poco loco y no sabe qué quiere. En abril entra sueño fácilmente y no debes desprenderte muy rápidamente de la ropa de invierno. En mayo también hay que esperar aún un poco para la ropa de verano. La lluvia de agosto refresca el bosque ...

Al menos, esto es lo que afirman estos refranes italianos:

Marzo pazzerello, esce il sole e apri l'ombrello.
Aprile dolce dormire.
Aprile non ti scoprire.
Maggio vai adagio.
La pioggia d'agosto rinfresca il bosco.

1. Encuentra las 9 palabras ocultas.

G	I	N	V	E	R	N	O	Q
E	F	L	M	A	R	Z	O	P
N	L	H	T	Z	U	O	T	A
N	U	D	G	R	S	A	T	P
A	G	O	S	T	O	Q	O	R
I	L	P	G	U	U	B	B	I
O	I	S	D	V	Z	O	R	L
R	O	E	S	T	A	T	E	E
M	A	G	G	I	O	P	L	N

2. Che mesi mancano?

3. Che stagioni mancano?

1.

G	I	N	V	E	R	N	O	Q
E	F	L	M	A	R	Z	O	P
N	L	H	T	Z	U	O	T	A
N	U	D	G	R	S	A	T	P
A	G	O	S	T	O	Q	O	R
I	L	P	G	U	U	B	B	I
O	I	S	D	V	Z	O	R	L
R	O	E	S	T	A	T	E	E
M	A	G	G	I	O	P	L	N

2. Febbraio, giugno, settembre, novembre, dicembre
3. Primavera, autunno

¡Aprende este refrán de memoria! Así repasarás los números (recuerda que delante de **otto** y **uno** desaparece la vocal del final) y no te olvidarás nunca más de los meses que tienen 30 o 31 días:

Trenta giorni ha novembre
con aprile, giugno e settembre,
di ventotto ce n'è uno,
tutti gli altri ne han trentuno.

1. Jeroglífico

g = c
l = n
~~a~~

p = v
a = e
~~e~~

v = t
~~n~~ ~~o~~

s = n
l = v

2. Jeroglífico

a = i
e = q

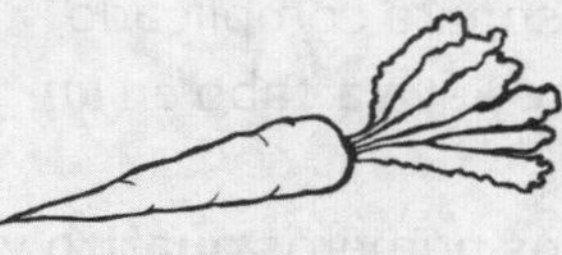

c = u
r = n
~~o~~

g = s
a = e
o = e

1. centoventinove
2. cinquantasette

Si alguien consigue algo **in quattro e quattr'otto**, quizás sonará complicado, pero signigica que se lleva a cabo *en un santiamén*.
Como en español, los números **quattro** y **due** aparecen en muchas expresiones y hacen referencia a una pequeña cantidad: **quattro gatti** *cuatro gatos* o **fare due passi** que se utiliza cuando se da un pequeño paseo.

¿LÓGICO?

1. vino : bicchiere =

caffè :

2. pane : panificio =

carne :

3. film : attore =

canzone :

4. libro : leggere =

televisione :

5. treno : binario =

macchina :

1. tazza
2. macelleria
3. cantante
4. guardare
5. strada

Los italianos adoran su **caffè**. Para ellos se trata siempre, por supuesto, de un café expreso y no debe especificarse nada más. La cuestión es si es **macchiato**, **corretto**, **ristretto**, **lungo**, **doppio**, **americano** o **marocchino** (con cacao y chocolate), **in tazzina**, en la *tacita* clásica de expreso, o **al vetro** *en taza de cristal*: **C'è l'imbarazzo della scelta** *Es la pega de tener que elegir*.

¿QUÉ FALTA?

1. Che bella giornata! Dove ci sediamo dentro o f ○○○ i?
2. Sei qui in vacanza o per l ○○○○ o?
3. Questa zona non è rumorosa. È molto t ○○○○○○○○ a.
4. La mostra è molto interessante. Non è per niente n ○○○○ a.
5. L'albergo non è in periferia. È vicino al c ○○○○ o.

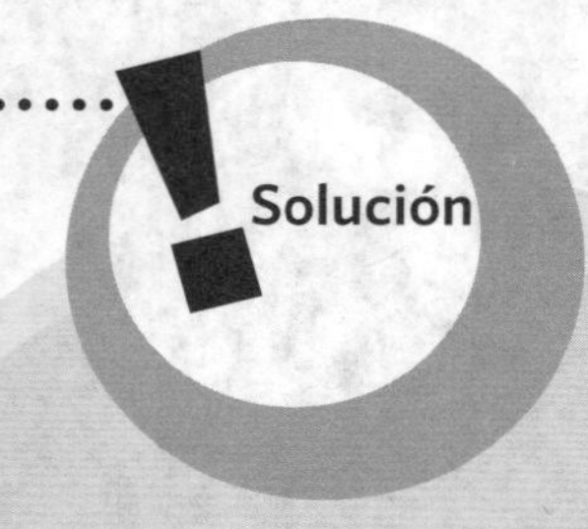

1. fuori
2. lavoro
3. tranquilla
4. noiosa
5. centro

Fuori significa *fuera*. **Mangiamo dentro o fuori?** *¿Comemos dentro o fuera?*
Si alguien te pregunta: **Andiamo a cena fuori stasera?**, como en español, no te está proponiendo cenar en la terraza, sino que le apetece salir a cenar fuera de casa.

Aquí tienes algunas indicaciones de lugar que te resultarán muy útiles:

vicino al centro	cerca del centro
accanto all'edicola	junto al quiosco
di fronte alla banca	enfrente del banco
davanti al bar	delante del bar
lontano dal centro	lejos del centro

EN EL REMOLINO

fuori,

Si no estás seguro de que existe una palabra, búscala en un diccionario.

Soluciones posibles:
suoi, fori, riso,
fuso, ufo, ...

Essere fuori moda es que algo *está pasado de moda*. Pero si lo que queremos expresar es que algo está de moda, que se lleva, entonces hay que emplear la fórmula: **va di moda**.

Quest'anno va di moda il blu.

Este año se lleva el azul.

Y si te gusta marcar tendencias, entoces lo mejor es que te vistas **all'ultima moda**, es decir, *a la última moda, muy de moda*.

Cesare segue sempre la moda.

Cesare sigue siempre la moda.

1. castillo
3. museo
5. negocios
6. estación
7. parada

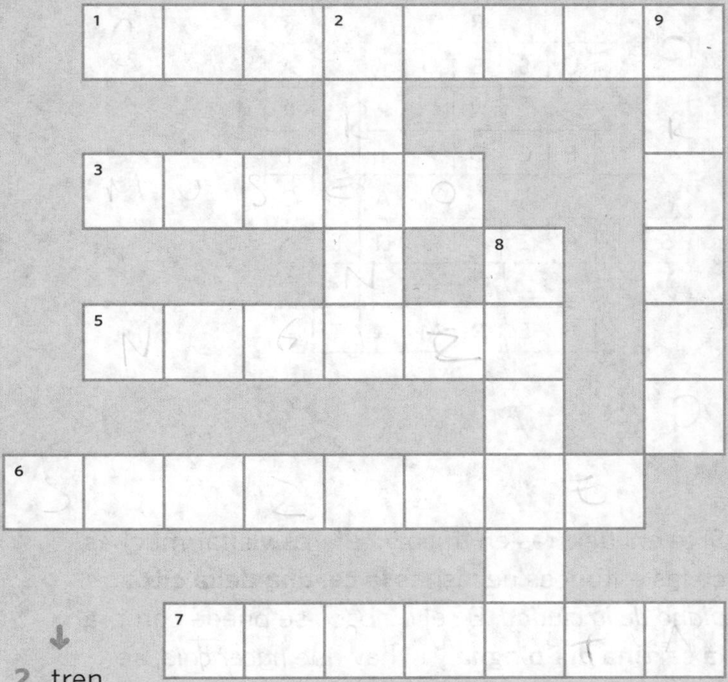

↓

2. tren
8. plano
9. horario

	[1] C	A	S	[2] T	E	L	L	[9] O
				R				R
	[3] M	U	S	E	O			A
				N		[8] P		R
	[5] N	E	G	[4] O	Z	I		I
						A		O
[6] S	T	A	Z	I	O	N	E	
						T		
		[7] F	E	R	M	A	T	A

Si te encuentras en Italia y quieres visitar muchas cosas entonces necesitas **la cartina della città** *un plano de la ciudad*. En el quiosco se puede comprar **la cartina di Bologna** y si hay que *hacer cola*, se dice **fare la fila**.

Devo comprare la cartina di Bologna, ma c'è tanta gente e devo fare la fila.

1. Encuentra las 9 palabras ocultas.

L	P	U	V	S	S	R	A
V	I	G	I	L	E	P	H
I	A	F	A	E	M	E	Z
A	Z	S	T	R	A	D	A
L	Z	U	O	G	F	O	D
E	A	M	O	T	O	N	U
S	C	O	D	A	R	I	C
A	C	O	R	S	O	N	G

L	P	U	V	S	S	R	A
V	I	G	I	L	E	P	H
I	A	F	A	E	M	E	Z
A	Z	S	T	R	A	D	A
L	Z	U	O	G	F	O	D
E	A	M	O	T	O	N	U
S	C	O	D	A	R	I	C
A	C	O	R	S	O	N	G

La strada significa *la calle*. Junto con los nombres de calles se dice, sin embargo, **Via**: **Via Mazzini**, **Via Dante,** etc.

¿Conoces también las expresiones italianas para decir *rotonda*, *calle de sentido único* y *callejón sin salida*? ¡Aprende este vocabulario!

l'autostrada	*la autopista*
la statale	*la carretera nacional*
la strada a senso unico	*la calle de sentido único*
la strada senza uscita	*el callejón sin salida*
la rotatoria	*la rotonda*

lontano

entrata

arrivo

andata

salire

davanti

partenza

ritorno

vicino

uscita

dietro

scendere

lontano	—	vicino
entrata	—	uscita
arrivo	—	partenza
andata	—	ritorno
salire	—	scendere
davanti	—	dietro

Probablemente has leído muchas veces en las puertas de los comercios **entrata** y **uscita**. ¿Has observado que en la autopista hay señales con los mismos nombres? Ahí significan *entrada a la autopista*, y *salida de la autopista,* respectivamente.

Sin embargo, si lo que prefieres es desplazarte en tren y necesitas *un billete de ida y vuelta*, entonces en ventanilla tendrás que decir:

Vorrei un biglietto di andata e ritorno per Trieste.

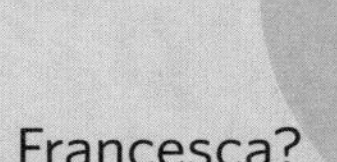

1. Quanti anni compie Francesca?

R	E	N
R	T	A
É	T	T

Compie ______ anni.

2. Quando parte per le vacanze?

A	E	T
N	S	T
A	M	I

Ha detto che parte la prossima ______.

3. Ha già organizzato tutto?

I	G	L
B	I	E
T	O	T

Sì, ho già comprato il ______ per Torino.

1. Compie **trentatré** anni.
2. Ha detto che parte la prossima **settimana**.
3. Sì, ho già comprato il **biglietto** per Tornio.

Di tres veces seguidas en voz alta este famoso **scioglilingua** *trabalenguas* en italiano. También en español es bastante difícil de pronunciar: *Treinta y tres trentinos entraron a Trento, los treinta y tres a trote.* ¡Se trata de practicar la **r**!

Trentatré trentini
entrarono a Trento
tutti e trentatré
trotterellando.

1. Encuentra la pronunciación que no encaja.

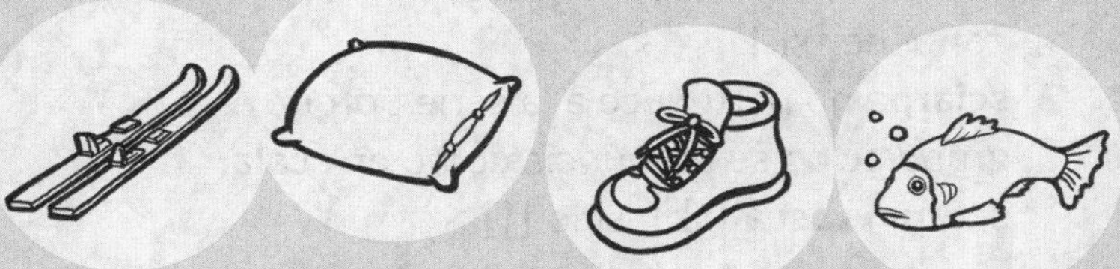

2. Encuentra la pronunciación que no encaja.

1. **scarpa** no pertenece a la serie porque, en lugar del sonido [ʃ] de **sci**, **cuscino**, **pesce** contiene [sk].
2. **sciarpa** no pertenece a la serie porque el grupo **sc** no se pronuncia como en **scala**, **scarpa**, **vasca** [sk], sino [ʃ].

Delante de **a**, **o** y **u** la **sc** se pronuncia [sk] (p. ej.: **sconto**, **scusa**). Delante de **i** y **e** se inserta la letra **h** para mantener la pronunciación [sk] (p. ej.: **schema**, **schizzo**).

Delante de **i** y **e**, **sc** se pronuncia [ʃ] (**cuscino**, **scena**), que suena como la **sh** de la palabra inglesa **show**.

¡UNA INTRUSA!

1. sole pioggia cielo vento

2. domani oggi ieri tempo

3. armadio letto scrivania lavandino

4. bicicletta treno strada macchina

5. primo sette quinto nono

1. sole pioggia ~~cielo~~ vento
2. domani oggi ieri ~~tempo~~
3. armadio letto scrivania ~~lavandino~~
4. bicicletta treno ~~strada~~ macchina
5. primo ~~sette~~ quinto nono

Igual que en español, **tempo** significa en italiano, por un lado, *tiempo* (cronológico) y, por otro, *tiempo atmosférico*.

Si quieres saber qué tiempo hace, entonces pregunta:
Che tempo fa?
En ese caso, probablemente te contestarán con alguna de las respuestas siguientes:
C'è il sole. / Fa caldo. / Piove. / Nevica. / C'è vento. / Fa freddo.

¿Sabías que en el Golfo de Trieste hay un viento fuerte y frío que se llama **la bora** y que puede alcanzar una velocidad de hasta 200 km/h?

JEROGLÍFICOS

1.

~~n~~ ~~a~~
o = e

~~d~~
i = t
o = i

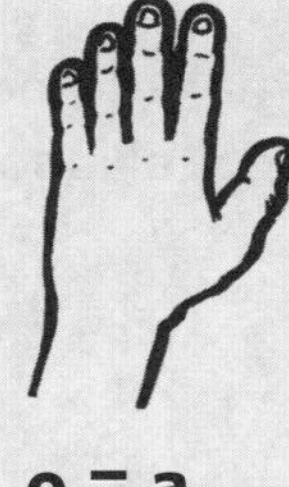

o = a

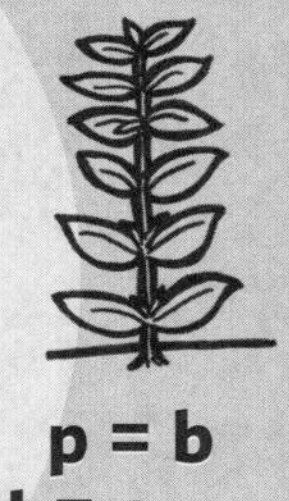

p = b
t = c

2.

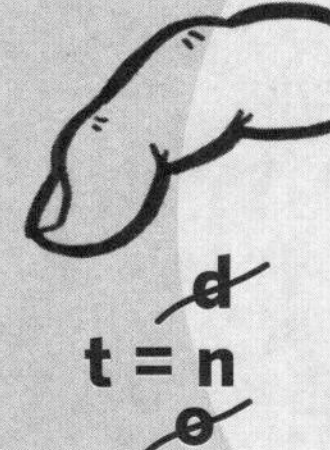

~~d~~
t = n
~~o~~

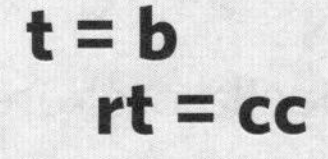

t = b
rt = cc

g = l
~~o~~

n = p
a = o

Solución

1. settimana bianca
2. in bocca al lupo

Si quieres desear buena suerte a alguien, se dice: **In bocca al lupo!**, aunque literalmente signifique *en boca del lobo*, y la otra persona contesta **Crepi il lupo!**, a lo cual nunca se responde con **Grazie!** Igualmente, antes de los exámenes o de citas importantes nunca se desea **buona fortuna** *buena suerte* porque los italianos consideran que esto trae mala suerte.

La **settimana bianca**, los italianos la prefieren en invierno. ¡Y es que van a esquiar a un lugar nevado, es decir *blanco*, donde se realizan deportes de invierno!

COLORES

1. cielo : azzurro =

prato :

2. neve : bianca =

sole :

3. carbone : nero =

fuoco :

4. arancia : arancione =

terra :

5. mare : blu =

strada :

1. verde
2. giallo
3. rosso
4. marrone
5. grigia

Passare una notte in bianco significa, como en español, *pasar la noche en blanco, sin dormir*.
Leggere un giallo significa *leer una novela negra, policíaca*.
Ieri ho letto un giallo e ho passato una notte in bianco.

¿Sabes por qué se le llama **giallo** a la novela negra? Esto se debe a que, en Italia, las primeras novelas policíacas se publicaban encuadernadas de color amarillo.

AL TELÉFONO

1. Pronto!? — Pronto. Ciao Giulia, sei a casa o in g○○o?
2. Sono in centro. Ti va se andiamo a fare shopping i○○○○○e?
3. Mmh ..., va bene. Cosa devi c○○○○○○e?
4. Boh ..., cerco un paio di jeans. A che ora ci i○○○○○○○○○o?
5. Ci vediamo alle quattro davanti alla pasticceria? — P○○○○○○o.

1. giro
2. insieme
3. comprare
4. incontriamo
5. Perfetto

Pronto? *¿Hola?/¿Diga?* Así se responde al teléfono en Italia. Pero, ¿por qué se contesta al teléfono con **pronto**, que significa también *listo*, *preparado*?

Se piensa que **pronto** viene de los comienzos del teléfono. Cuando toda comunicación se tenía que establecer a través de la centralita, la telefonista contestaba a la persona que llamaba con **pronto** para indicar que todo estaba listo para la llamada.

ROPA

1. botas
6. pantalones
7. calcetines

↓

2. vestido/traje
3. camisa
4. falda
5. chaqueta

1 S	T	I	2 V	A	L	I		
			E					
	3 C		S			4 G		5 G
6 P	A	N	T	A	L	O	N	I
	M		I			N		A
	I		T			N		C
	C		O			A		C
	I							A
7 C	A	L	Z	E	T	T	I	

Si quieres comprar ropa en Italia, recuerda que tienes que sumar 4 a tu talla habitual: p. ej. *la talla 38* equivale a **la taglia 42**.
Así cuando te pregunten por la talla puedes contestar:
Che taglia ha? — Ho la 42.
O por el número de zapato:
Che numero ha? — Ho il 38.

Leggero y **pesante** no solo significan *ligero* y *pesado*, sino también *fino* y *gordo*, respectivamente:
Quella maglietta è troppo leggera
Aquella camiseta es demasiado *fina*.
Ho un bel maglione pesante.
Tengo un jersey *gordo*.

1. Encuentra las 9 palabras ocultas.

B	R	I	S	C	G	S	U	N
U	L	I	N	O	C	E	D	F
N	A	C	O	T	R	T	P	U
V	N	P	T	O	S	A	N	L
U	A	S	F	N	A	B	N	C
E	R	U	P	E	L	L	E	U
E	Q	U	A	D	R	I	M	O
P	R	D	A	F	I	O	R	I
A	R	I	G	H	E	R	T	O

Solución

B	R	I	S	C	G	S	U	N
U	L	I	N	O	C	E	D	F
N	A	C	O	T	R	T	P	U
V	N	P	T	O	S	A	N	L
U	A	S	F	N	A	B	N	C
E	R	U	P	E	L	L	E	U
E	Q	U	A	D	R	I	M	O
P	R	D	A	F	I	O	R	I
A	R	I	G	H	E	R	T	O

Los materiales siempre van introducidos por la preposición **di**:
Ho comprato una cintura di pelle e una camicia di seta.

Los estampados se emplean con la preposición **a**:
Cerco una maglietta a fiori e una camicia a righe.

Preferisco il vestito in tinta unita significa que prefieres el vestido liso, de un color.

ACCESORIOS

cin brac a o cra

tu ra vat col

rec nel to

ta ni na

chi lo

la cia let

1. ______________________________

2. ______________________________

3. ______________________________

4. ______________________________

5. ______________________________

6. ______________________________

cintura
cravatta
anello
collana
orecchini
braccialetto

Los nombres de muchos accesorios pueden derivar de las partes del cuerpo:

gli occhi	**gli occhiali**
l'orecchio	**gli orecchini**
il collo	**la collana**
il braccio	**il braccialetto**

LOS CONTRARIOS

largo

scuro

comprare

lungo

mettere

vestirsi

vendere

corto

stretto

chiaro

spogliarsi

togliere

largo — stretto
scuro — chiaro
comprare — vendere
lungo — corto
mettere — togliere
vestirsi — spogliarsi

Si quieres *ponerte algo*, se dice **mettersi qualcosa**.
Aspetta, mi metto il cappotto e la sciarpa.

Si *te vistes completamente*, se dice **vestirsi**.
La mattina mi sveglio, mi alzo, mi lavo, mi vesto, faccio colazione, mi metto la giacca e esco.

1. Che giorno è oggi?

M	R	Ì
C	E	O
E	L	D

Oggi è ______.

2. Quanti ne abbiamo oggi?

I	E	V
N	V	T
E	N	O

Oggi è il ______ aprile.

3. Quando vai in vacanza?

S	T	M
E	R	T
E	E	B

Vado in ______.

1. Oggi è mercoledì.
2. Oggi è il ventinove aprile.
3. Vado in settembre.

Mercoledì significa *(el) miércoles.*
Che cosa fai mercoledì?

Il mercoledì significa *los miércoles.*
Il mercoledì vado sempre a correre.

Y si *no puedes esperar más* para hacer algo o para ver a alguien, se dice, **non vedo l'ora di ...**
Non vedo l'ora di andare in vacanza!
Non vedo l'ora di vederti!

¡UNA INTRUSA!

1.	mano	orecchini	bocca	occhi
2.	sole	pioggia	cielo	vento
3.	lunedì	mattino	mercoledì	venerdì
4.	ora	minuti	data	secondi
5.	lenzuolo	coperta	ora	letto

1. mano ~~orecchini~~ bocca occhi
2. sole pioggia ~~cielo~~ vento
3. lunedì ~~mattino~~ mercoledì venerdì
4. ora minuti ~~data~~ secondi
5. lenzuolo coperta ~~ora~~ letto

il mattino – la mattina
Le ore del mattino hanno l'oro in bocca.
A quien madruga, Dios le ayuda.

Ya se sabe que es bueno comer naranjas; pero ¿es siempre realmente tan sano? En un país de limoneros, como es Italia, hay un buen refrán para responder a ello:
Le arance sono oro la mattina, argento a mezzogiorno e piombo la sera.
Por la mañana las naranjas son oro, al mediodía plata y por la noche plomo.

¿LÓGICO?

1. piedi : scarpe =
   mani : ______

2. caldo : estate =
   freddo : ______

3. ora : minuti =
   settimana : ______

4. cielo : aereo =
   mare : ______

5. chitarra : corde =
   pianoforte : ______

1. guanti
2. inverno
3. giorni
4. nave
5. tastiera

La música tiene una larga tradición en Italia. Y tú, ¿ tocas algún instrumento? **Che strumento suona?** P. ej., **la chitarra**, **il pianoforte**, **la batteria**, **il sassofono**...

En italiano, las notas musicales se llaman igual que en español: **do**, **re**, **mi**, **fa**, **sol**, **la**, **si**, **do**. Y desde hace siglos, por tradición, las indicaciones musicales se dan en italiano:

- para la intensidad: **piano**, **pianissimo**, **forte**, **fortissimo**
- para el ritmo: **lento**, **moderato**, **allegro**, **vivace**

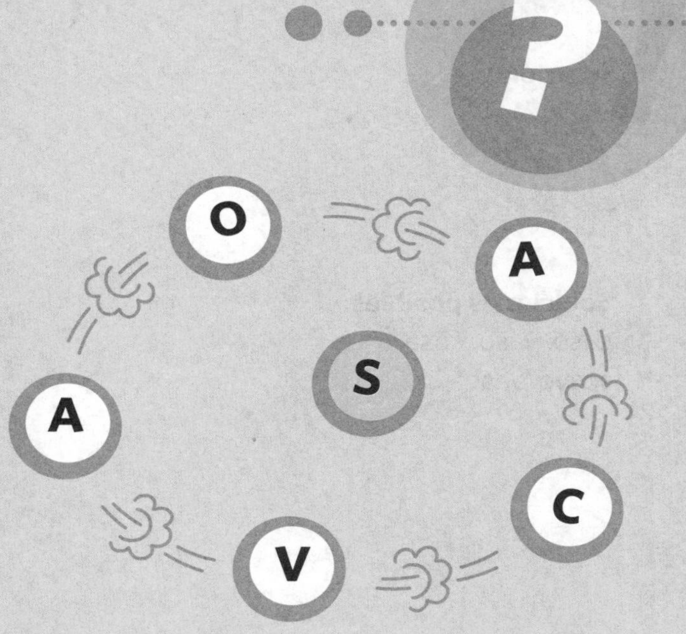

casa,

Si no estás seguro de que existe una palabra, búscala en un diccionario.

Soluciones posibles:
caso, vaso, cosa, scavo, vasca, ...

La palabra **casa** proviene del latín con el sentido de **capanna** (= *cabaña*) y hace referencia a un lugar con techo y, por lo tanto, resguardado. Hoy, como en español, **casa** tiene el significado de **abitazione della famiglia**, es decir, el lugar en el que se vive y donde uno se siente en casa. En latín, se empleaba para ello la palabra **domus** que se encuentra hoy en italiano y en español como **domicilio**.

MOBILIARIO

1. jarrón
4. librería
6. habitación
7. silla

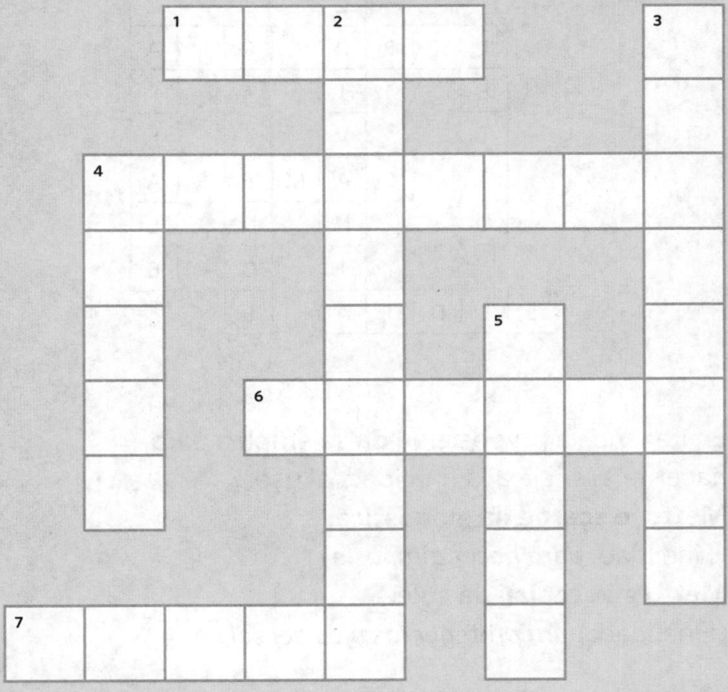

2. escritorio
3. estante
4. cama
5. cortinas

Solución

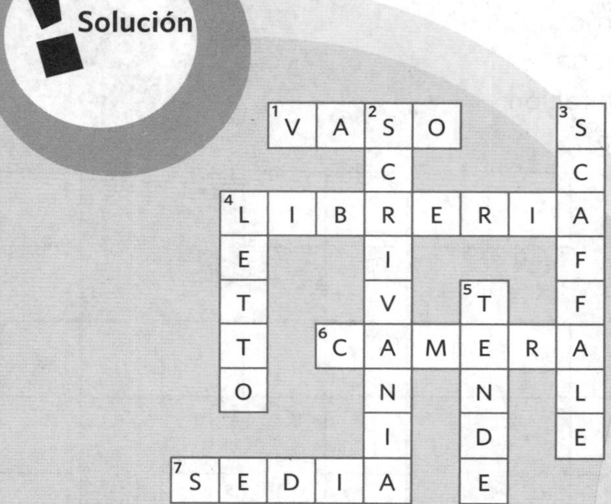

En italiano, la preposición **da** se emplea para hacer referencia a la finalidad, al uso.

Metto le scarpe da ginnastica.
(Finalidad: *para hacer gimnasia*)

Metto gli occhiali da sole.
(Finalidad: *para proteger los ojos del sol*)

la sala da pranzo	el comedor
la camera da letto	el dormitorio
le scarpe da ginnastica	las zapatillas de deporte
gli occhiali da sole	las gafas de sol
il costume da bagno	el traje de baño

1. Encuentra las 9 palabras ocultas.

D	F	A	C	E	A	I	S	O
O	E	F	A	S	N	A	A	R
B	U	R	R	O	U	I	L	I
L	O	A	N	C	L	O	A	G
E	V	P	E	S	C	E	M	A
A	A	R	E	S	F	G	E	N
I	N	S	A	L	A	T	A	O
C	I	P	O	L	L	E	S	E
U	C	B	N	A	G	L	I	O

Solución

D	F	A	C	E	A	I	S	O
O	E	F	A	S	N	A	A	R
B	U	R	R	O	U	I	L	I
L	O	A	N	C	L	O	A	G
E	V	P	E	S	C	E	M	A
A	A	R	E	S	F	G	E	N
I	N	S	A	L	A	T	A	O
C	I	P	O	L	L	E	S	E
U	C	B	N	A	G	L	I	O

Después de comer *ajo* **aglio**, un par de hojas de *perejil* **prezzemolo** tienen un efecto refrescante. Desde la Edad Media, en la cocina se emplea el perejil para todo. De ahí surgió el refrán **essere come il prezzemolo**. Con esta expresión se quiere indicar que alguien está en todas partes: **Ma sei come il prezzemolo!**

En una cocina que se precie, también son imprescindibles *las hierbas aromáticas* **le erbe aromatiche** y *las especias* **le spezie**.

?

1. Che cosa usi per mescolare lo zucchero nel caffè?

una ci occhi

2. Con che cosa tagli la bistecca?

tel collo

3. Cosa usi per mangiare gli spaghetti?

chef trota

1. cucchiaino
2. coltello
3. forchetta

Para formar un diminutivo o una palabra cariñosa puedes emplear el sufijo **-ino**, añadiéndolo a la raíz de un adjetivo o de un sustantivo.
Pero ¡cuidado!, no todas las palabras que terminan en **-ino** son diminutivos:

il cucchiaio – il cucchiaino *la cuchara – la cucharilla*
il tavolo – il tavolino *la mesa – la mesita*
il regalo – il regalino *el regalo – el regalito*
il cappello – il cappellino *el sombrero – el sombrero de señora*
il telefono – il telefonino *el teléfono – el teléfono móvil*

1. Encuentra la pronunciación que no encaja.

2. Encuentra la pronunciación que no encaja.

1. **globo** no pertenece a la serie, porque no presenta el grupo **gli** como **tovaglia**, **aglio** y **bottiglia**.
2. **cane** no pertenece a la serie, porque no presenta el grupo **gn** como **gnocchi**, **ragno** y **agnello**.

El grupo **gl** [lj] delante de **i** se pronuncia como la **ll** española no yeísta de *lluvia*. Pero ¡cuidado!, la **i** es muda. Así en **aglio** [ljo] la **i** no suena. Palabras como **olio** se escriben de forma parecida pero sin **g**, de manera que en estos casos sí se pronuncia la **i**. En el resto de casos, el grupo **gl** se pronuncia [gl], como en **inglese**.

El grupo **gn** [ɲ] se pronuncia como la **ñ** española (**montaña**) en palabras como **Lignano** y **gnocchi**.

1. Che cosa cerchi?

C	I	P
T	A	P
A	A	V

Cerco il ______ .

2. Che cosa devo comprare?

G	I	O
A	F	M
G	O	R

Mah, manca il ______ .

3. Che cosa mangiamo oggi a mezzogiorno?

C	A	C
C	A	I
P	R	O

Possiamo fare il ______ .

1. Cerco il **cavatappi**.
2. Manca il **formaggio**.
3. Possiamo fare il **carpaccio**.

Il sughero *el corcho* es el material con el que se producen **i tappi** *los tapones*. En Cerdeña hay muchos *alcornoques* **querce da sughero**, por eso se ha desarrollado allí la industria de producción de corcho.

il cavatappi – *el sacacorchos, descorchador*
l'apribottiglia – *el abrebotellas, abridor*

salato

amaro

magro

morbido

pulito

molto

grasso

sporco

insipido

poco

duro

dolce

salato — insipido
amaro — dolce
magro — grasso
morbido — duro
pulito — sporco
molto — poco

Molto, como adjetivo, hace referencia a un sustantivo y significa *mucho*:
Ho molto tempo.
Ho molta pazienza.
Ho molti libri.
Ho molte idee.

Molto, como adverbio, hace referencia al verbo, es invariable y significa *muy* o *mucho*:
Ho molto da fare.
Luisa è molto bella.

¡UNA INTRUSA!

1. padella · pentola · pentolino · piatto
2. vino · acqua · birra · grappa
3. conto · coperto · cavolo · mancia
4. primo · ultimo · contorno · dolce
5. mora · albicocca · uova · uva

Solución

1. padella pentola pentolino ~~piatto~~
2. vino ~~acqua~~ birra grappa
3. conto coperto ~~cavolo~~ mancia
4. primo ~~ultimo~~ contorno dolce
5. mora albicocca ~~uova~~ uva

Acqua

Intenta hablar una vez con ***agua en la boca***. ¡Claro, es imposible! Por eso, si alguien te cuenta un secreto y no quiere que se sepa, te dice: **Acqua in bocca!**

Si ves algo apetecible y ***se te hace la boca agua,*** entonces puedes decir: **Mmmhhh, ho l'acquolina in bocca!**

¿LÓGICO?

1. banana : frutta =
   cetriolo : ______

2. penna : scrivere =
   coltello : ______

3. zucchero : dolce =
   peperoncino : ______

4. burro : latte =
   olio : ______

5. bocca : mangiare =
   occhio : ______

1. verdura
2. tagliare
3. piccante
4. olive
5. vedere

Peperone es *pimiento*.
La variante pequeña y picante, la *guindilla* o *chili*, se llama **peperoncino piccante**.
Si quieres hacer un pequeño regalo, bonito y original, puedes ofrecer un manojo de **peperoncini rossi** (una plantita de guindillas naturles o incluso un llavero de plástico), porque tienen fama de traer buena suerte.

APARATOS DEL HOGAR

fri va go for ra

pol to spi ri

va sto ve fe

la re ro la no la

tri vi glie ce frul

re a

1. ______________________

2. ______________________

3. ______________________

4. ______________________

5. ______________________

6. ______________________

forno
frullatore
frigorifero
lavatrice
lavastoviglie
aspirapolvere

Algunas palabras pueden abreviarse, y la forma abreviada puede utilizarse tanto para el singular como para el plural:

il frigo(rifero) **i frigo(riferi)**
la foto(grafia) **le foto(grafie)**
la bici(cletta) **le bici(clette)**

¿QUÉ FALTA?

1. Oggi devo passare

   l'a○○○○○○○○○○○e.
   E tu, che cosa fai?

2. Ho i capelli troppo lunghi e quindi oggi vado dal

   p○○○○○○○○○○e.

3. Sabato Francesca compie gli anni. Sarà una bella

   festa di c○○○○○○○○o!

4. Possiamo andarci insieme.

   Che cosa le r○○○○i?

5. Boh, ancora non lo so. Vado in profumeria

   e prendo il suo p○○○○○o preferito.

1. aspirapolvere
2. parrucchiere
3. compleanno
4. regali
5. profumo

Para sonar realmente italiano, deberías incorporar a menudo estas **paroline** *palabritas* en tu discurso:

beh – *bueno*
boh – *mm*
mah – *bah*
caspita – *vaya*

— Beh, e adesso cosa facciamo?
— Boh, non lo so.
— Mah, possiamo andare a Berlino.
— Caspita, che bella idea!

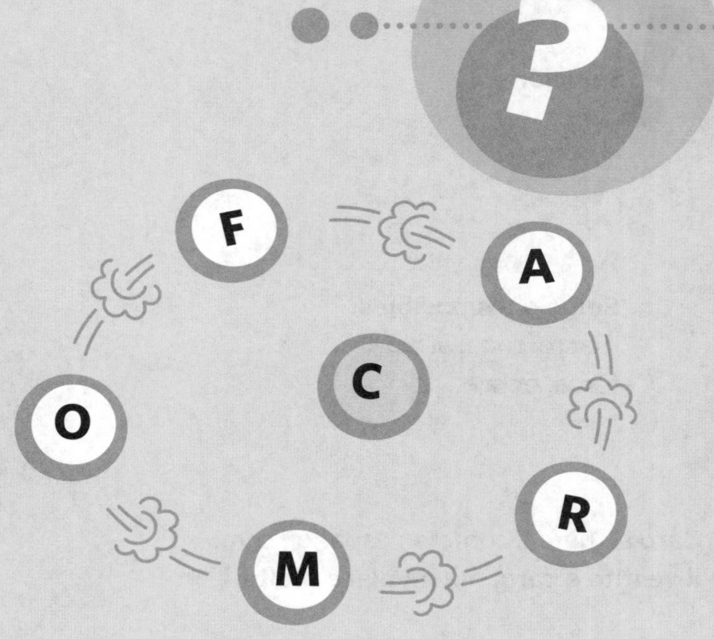

caro,

Si no estás seguro de que existe una palabra, búscala en un diccionario.

Soluciones posibles:
macro, roca, arco,
forca, ocra, ...

Caro significa, como en español, *caro*:
Il vestito è caro, ma mi piace molto.

Pero en el encabezamiento de una carta o e-mail, **caro** también significa *querido/a*:
Caro Marco / Cara Simona,
Si, por el contrario, el tratamiento es de usted, entonces se comienza con:
Gent. signor ... / Gent.ma signora ...,
donde **Gent.** es la abreviación de **Gentilissimo** y **Gent.ma**, de **Gentilissima**.
Si diriges una carta a una empresa, entonces se encabeza con:
Spett. Ditta (...), donde **Spett.** es la abreviación de **Spettabile**.

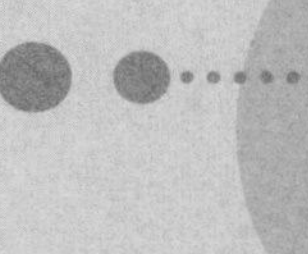

caro	lento
risparmiare	perdere
trovare	economico
veloce	abbassare
alzare	spendere

caro	—	economico
risparmiare	—	spendere
trovare	—	perdere
veloce	—	lento
alzare	—	abbassare

Lo contrario de **caro** es **economico** *barato, económico*.
Sin embargo, en la lengua oral es más común decir p.ej. **il tavolo non è caro** o **il tavolo non costa tanto**.

1. Encuentra las 10 palabras ocultas.

S	E	T	D	E	N	T	I	V
P	B	P	C	I	G	L	I	A
A	O	C	C	H	I	U	E	S
N	C	O	L	E	A	C	N	L
A	C	G	U	A	N	C	I	A
S	A	D	F	R	G	O	U	B
O	R	E	C	C	H	I	E	B
C	A	P	E	L	L	I	E	R
A	R	D	L	I	N	G	U	A

Solución

S	E	T	D	E	N	T	I	V
P	B	P	C	I	G	L	I	A
A	O	C	C	H	I	U	E	S
N	C	O	L	E	A	C	N	L
A	C	G	U	A	N	C	I	A
S	A	D	F	R	G	O	U	B
O	R	E	C	C	H	I	E	B
C	A	P	E	L	L	I	E	R
A	R	D	L	I	N	G	U	A

Los nombres de las partes del cuerpo a menudo forman el plural de manera irregular.
Aquí tienes algunos ejmplos:

il labbro	**le labbra**
l'orecchio	**le orecchie**
il sopracciglio	**le sopracciglia**

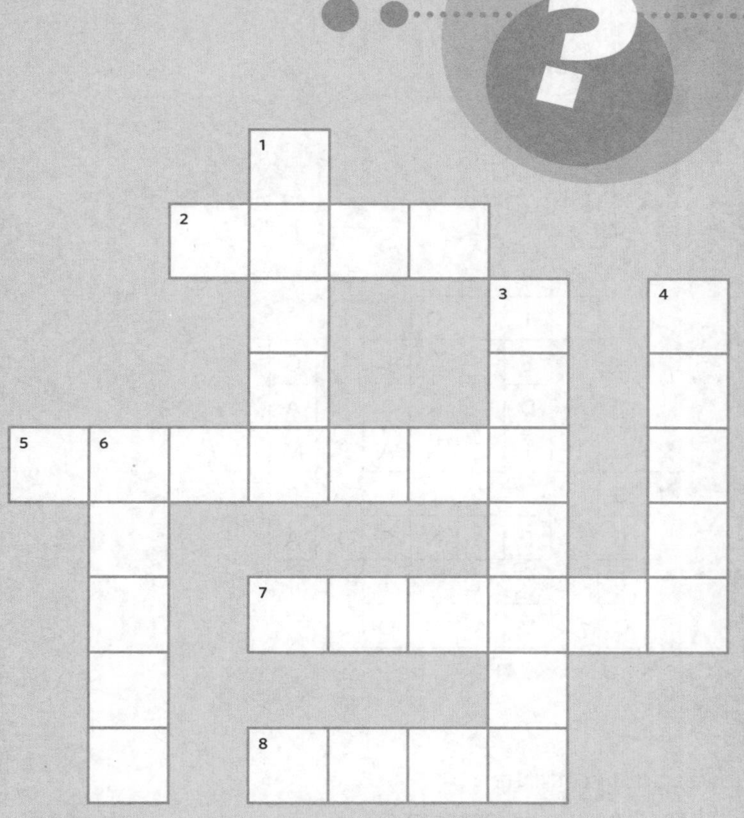

→

2. dedo
5. espalda
7. barriga
8. mano

↓

1. pies
3. brazo
4. pierna
6. cuello

			1 P					
		2 D	I	T	O			
			E			3 B		4 G
			D			R		A
5 S	6 C	H	I	E	N	A		M
	O					C		B
	L		7 P	A	N	C	I	A
	L					I		
	O		8 M	A	N	O		

... ¡y aquí continúa!

il braccio	**le braccia**
la mano	**le mani**
il dito	**le dita**
il ginocchio	**le ginocchia**

Si ya lo has aprendido todo, entonces eres **una persona in gamba**, *una persona formidable* y *eficiente*.

¿LÓGICO?

1. sapone : mani =
   shampoo : ○○○○○○○

2. piede : scarpa =
   testa : ○○○○○○○○

3. dietro : davanti =
   a destra : ○ ○○○○○○○○

4. dentro : fuori =
   sotto : ○○○○○

5. acqua : lavare =
   fon : ○○○○○○○○○

1. capelli
2. cappello
3. a sinistra
4. sopra
5. asciugare

Cuando duele en alguna parte se dice:
Ho mal di ...
... testa *cabeza*
... pancia *barriga*
... denti *dientes*
... stomaco *estómago*
... schiena *espalda*

Y un remedio para el dolor de cabeza se encuentra, p. ej., en una **farmacia**, y se pide diciendo:
Ho mal di testa. Cosa mi consiglia?
Tengo dolor de cabeza. ¿Qué me recomienda?

pet ti ne spaz fri po

ros zo ne zo

ti

li den cio

no

set to

sa spaz la

1. ______________________

2. ______________________

3. ______________________

4. ______________________

5. ______________________

6. ______________________

pettine
spazzola
spazzolino
dentifricio
sapone
rossetto

Ya estás familiarizado con los términos **borsa**, **valigia** y **zaino**. También puede llevarse algo en la **beauty case** (*neceser*), uno de los muchos anglicismos que existen.

Debido a su difusión mediática, algunos anglicismos ya se han incorporado al italiano estándar:

lo sponsor
lo staff
lo stage
il computer
il leader
il manager
il jet lag
il trend
fare shopping
il goal
il flash
il flirt
il partner
il boss

¡UNA INTRUSA!

1.	sandali	scarponi	sabbia	infradito
2.	nuotare	sciare	pattinare	luglio
3.	pedine	carte	cucina	dadi
4.	tosse	bilancia	febbre	influenza
5.	giornale	farmacia	edicola	gelateria

1. sandali scarponi ~~sabbia~~ infradito
2. nuotare sciare pattinare ~~luglio~~
3. pedine carte ~~cucina~~ dadi
4. tosse ~~bilancia~~ febbre influenza
5. ~~giornale~~ farmacia edicola gelateria

La bilancia es como se llama la *balanza* con la que uno se pesa y también el signo del zodíaco *libra*.
¿Tú crees en el horóscopo? Los italianos son bastante supersticiosos. Al igual que los españoles, a menudo acompañan las expresiones con gestos concretos, p. ej., para atraer la suerte dicen **incrocio le dita** *cruzo los dedos* (y los cruzan) o para mantener alejada la mala suerte dicen **toccano ferro**, *hierro,* en lugar de *toco madera* (y lo tocan).

PRONUNCIACIÓN

1. Encuentra la pronunciación que no encaja.

2. Encuentra la pronunciación que no encaja.

1. **vento** no pertenece a la serie porque las demás palabras empiezan por **f** (**finestra**, **fiore**, **fiume**).
2. **cuore** no pertenece a la serie porque se escribe diferente (**quattro**, **aquila**, **quadro**).

Así como en español **b** y **v** se pronuncian igual, en italiano la **v** se pronuncia [w], como en francés *voir*, acercando el labio inferior a los bordes de los dientes incisivos superiores, p. ej. **violino** y **vaso**.
Por cierto, la **doppia vu** *la doble uve* en italiano también se llama [wu], de modo que www sería [wuwuwu].
La **qu** no se pronuncia como en español [k], sino [ku]. Presta atención, porque el grupo **cu**+vocal se pronuncia igual que **qu**+vocal. ¡Solo se diferencian en la escritura!

JEROGLÍFICO

1.

2.

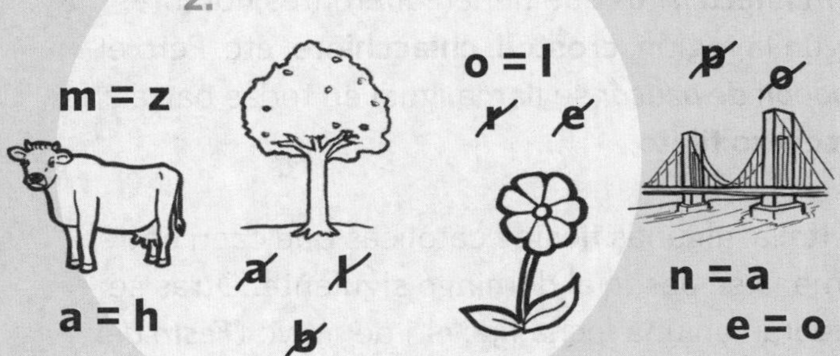

1. carnevale
2. zucchero filato

La palabra **carnevale** proviene de **carne levare** *quitar carne*, en su origen designaba el día anterior a la Cuaresma (período en el que no se puede comer carne).
Tradicionalmente, en Carnaval se comen *dulces de manteca fritos* que tienen diferentes nombres según la región: **crostoli**, **chiacchiere**, etc. Pero el *algodón de azúcar* se llama igual en todas partes: **zucchero filato**.

En Italia, algunas fiestas católicas que caen entre semana se pasan al domingo siguiente. Otras se celebran en una fecha fija: el 1 de mayo (*Festa del Lavoro*), el 25 de abril (*Anniversario della Liberazione*). Y si caen cerca del fin de semana, también es costumbre **fare ponte** *hacer puente*.

→

2. Navidad
4. Felicidades
5. Lunes de Pascua
6. Pascua

1. Fin de Año
3. Día de los Reyes Magos

1 2 3 4 5 6

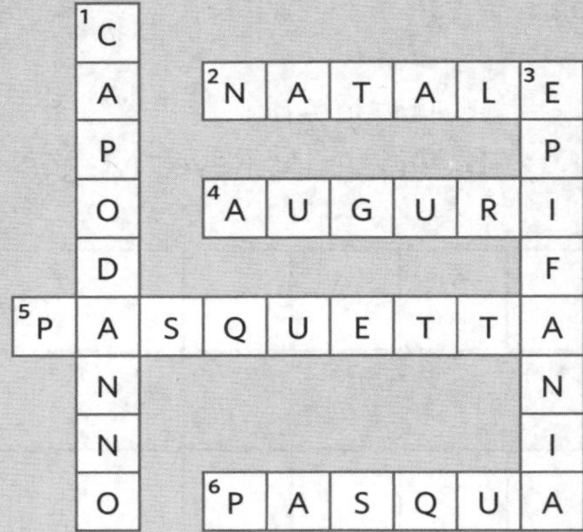

Auguri! Buona Pasqua! Buon Natale! Buon Anno! Buon Compleanno! son fiestas que se celebran en todos los lugares.

Sin embargo, un fenómeno típico italiano es el **Ferragosto**. Es el día 15 de agosto, que en España se conoce como *La Asunción de la Virgen*. Para los italianos **Ferragosto** es una gran fiesta y abandonan la ciudad hacia el mar, la montaña o el campo. En la costa tienen lugar los tradicionales **fuochi d'artificio** *fuegos artificiales*.

1. Encuentra las 10 palabras ocultas.

M	F	I	G	L	I	T	S	Z
F	R	A	T	E	L	L	O	I
R	P	A	P	À	O	L	R	O
M	A	M	M	A	U	E	E	N
P	D	F	L	N	C	I	L	I
G	S	C	B	U	L	P	L	P
S	A	R	N	O	N	N	A	O
C	O	G	N	A	T	A	S	T
E	T	U	I	V	Z	I	A	E

M	F	I	G	L	I	T	S	Z
F	R	A	T	E	L	L	O	I
R	P	A	P	À	O	L	R	O
M	A	M	M	A	U	E	E	N
P	D	F	L	N	C	I	L	I
G	S	C	B	U	L	P	L	P
S	A	R	N	O	N	N	A	O
C	O	G	N	A	T	A	S	T
E	T	U	I	V	Z	I	A	E

Ya se sabe: idías festivos y familia van juntos! En Italia hay un refrán que permite una excepción: **Natale con i tuoi, Pasqua con chi vuoi**, *La Navidad con los tuyos y la Pascua con quien quieras*.

El *Lunes de Pascua*, **Pasquetta**, es tradición realizar una excursión al campo. Se organiza un picnic con amigos y se come la tradicional **frittata di Pasquetta**, la *tortilla del Lunes de Pascua*.

ca cioc tor ra li mel

le ro ne bis

ti

ti ne cot qui

li

ri zia co la ni pra

1. ____________________

2. ____________________

3. ____________________

4. ____________________

5. ____________________

6. ____________________

cioccolatini
caramelle
torrone
biscotti
praline
liquirizia

Biscotti (*galletas*) traducido literalmente significa *cocido dos veces* (bis = *dos veces*, cotto = *cocido*), solo así quedan crujientes. A los italianos les encantan sus galletas. Para desayunar las mojan en el té o en el **caffelatte**.

Por cierto, **bis** con el significado de *dos veces,* se encuentra también en **bisnonna** *bisabuela* y **bisnonno** *bisabuelo*. También podrás escuchar en un concierto cómo grita el público **bis!, bis!** *¡otra!, ¡otra!*

EN EL REMOLINO

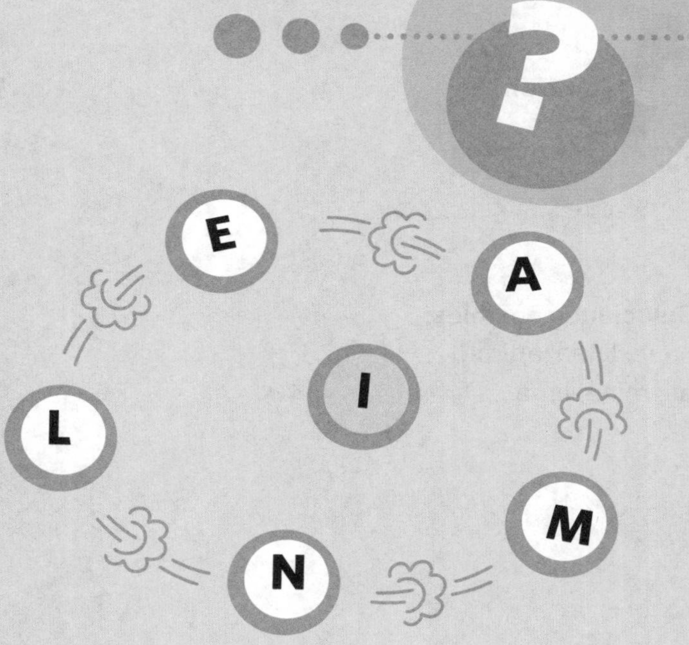

mani,

Si no estás seguro de que existe una palabra, búscala en un diccionario.

Soluciones posibles:
liane, linea, anime, ali, mina, lima, ...

Avere le mani bucate
¿Has despilfarrado alguna vez mucho dinero? ¿Se te ha ido el dinero *de las manos*? En Italia también se cuela el dinero por las manos. Se dice, como en español, que alguien *tiene un agujero en la mano* **ha le mani bucate** (literalmente*, tiene las manos agujereadas*).

JEROGLÍFICO

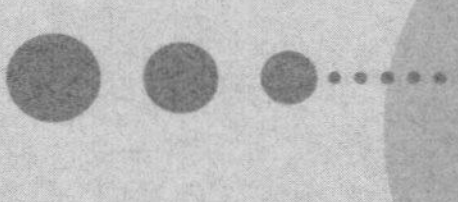

1.

~~o~~ ~~c~~

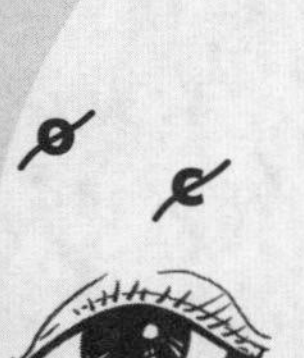

~~p~~ ~~a~~

o = i

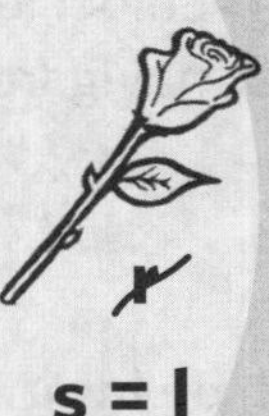

~~r~~

s = l

2.

~~e~~

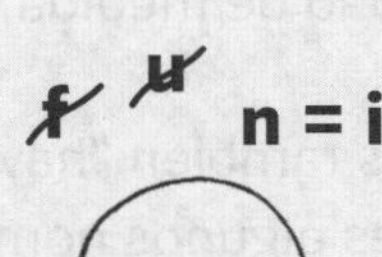

~~f~~ ~~u~~

n = i

~~o~~

~~p~~ ~~e~~

s = a

c = r

1. chiocciola
2. navigare

El origen de la @
En italiano la @ se llama **chiocciola**, que traducido literalmente significa ***caracol***. Todo el mundo conoce este símbolo, pero ¿cuál es su origen? Tenemos que remontarnos al siglo XVI y encontramos la @ en las cartas de los mercaderes venecianos. Los comerciantes utilizaban este símbolo para una unidad de medida: la **ánfora**.

Por cierto, los italianos también "navegan" por internet (**navigare**). Aquí tienes algunos nombres de signos de puntuación:

- -　**meno o lineetta**
- _　**trattino basso**
- /　**barra**
- ()　**parentesi**
- 　**spazio**

ORDENADOR

1. Encuentra las 8 palabras ocultas.

N	A	V	I	G	A	R	E	S
C	L	I	C	C	A	R	E	T
R	U	L	B	V	C	D	E	A
S	C	H	E	R	M	O	A	M
S	R	B	M	C	O	O	L	P
E	R	E	T	E	U	E	R	A
A	R	P	M	R	S	E	T	N
T	A	S	T	I	E	R	A	T
A	L	L	E	G	A	T	O	E

N	A	V	I	G	A	R	E	S
C	L	I	C	C	A	R	E	T
R	U	L	B	V	C	D	E	A
S	C	H	E	R	M	O	A	M
S	R	B	M	C	O	O	L	P
E	R	E	T	E	U	E	R	A
A	R	P	M	R	S	E	T	N
T	A	S	T	I	E	R	A	T
A	L	L	E	G	A	T	O	E

¿Cómo sería navegar por internet en italiano? Te podrían servir de ayuda las palabras siguientes.

salvare *guardar*
chattare *chatear*
scaricare *descargar*
cliccare *hacer clic*
cancellare *borrar*
copia e incolla *copiar y pegar*

LOS CONTRARIOS

accendere

più

buttare

avanti

spingere

ricevere

mandare

tirare

indietro

meno

tenere

spegnere

accendere	—	spegnere
più	—	meno
buttare	—	tenere
avanti	—	indietro
spingere	—	tirare
ricevere	—	mandare

Para escribir **messaggi** *sms* de manera más rápida se ha desarrollado un código de abreviaciones que se emplea a menudo en **il telefonino** *el móvil*. Aquí tienes algunos ejemplos:

+	**più**	*más*
-	**meno**	*menos*
+ o -	**più o meno**	*más o menos*
x	**per**	*para/por*
nn	**non**	*no*
6	**sei**	*eres*
c6	**ci sei**	*estás ahí*
tvtb	**ti voglio tanto bene**	*te quiero mucho*

1. A Carlo non piace vivere in città. Preferisce la vita in c ○○○○○○ a.

2. A me piacciono gli animali ma non sopporto gli i ○○○○○ i.

3. Anna vive in campagna. Ha tanti animali e una f ○○○○○○ a bellissima.

4. Se domani hai tempo, la possiamo andare a t ○○○○○ e.

5. Certo. Non vedo l'ora di respirare un po' d'aria b ○○○ a.

1. campagna
2. insetti
3. fattoria
4. trovare
5. buona

L'agriturismo es un modo alternativo de pasar unas vacaciones ¡en una granja! Es la ocasión perfecta para tomar contacto con la naturaleza. Forma parte de estas vacaciones disfrutar de la cocina tradicional y del placer de los productos elaborados por uno mismo como el aceite, el vino, etc. Ideal parar descansar, disfrutar del paisaje y conocer los productos de la granja.

muc ca li ca

pe co

val

gal na ra

lo

co ca ni pra glio

1. ______________________________

2. ______________________________

3. ______________________________

4. ______________________________

5. ______________________________

6. ______________________________

mucca
pecora
cavallo
gallina
coniglio
capra

¿Que actitud tientes tú ante la vida? ¿Prefieres tener un huevo hoy en lugar de una gallina mañana? Esto es lo que expresan los italianos con el siguiente refrán: **Meglio un uovo oggi che una gallina domani!**, que tiene su equivalente en español en la expresión *mejor pájaro en mano que ciento volando*. Es decir, que es mejor contentarse con lo que se tiene, por poco que sea, que hacer planes para el futuro sin garantía alguna.

1. In quale insetto si può trasformare il bruco?

Fra falla

2. Quale insetto ha dato il nome a una macchina?

Mangio iglo

3. Quale insetto dà molto fastidio?

Ranazza

1. farfalla
2. maggiolino
3. zanzara

En Italia el famoso Escarabajo de Volkswagen se llama *escarabajo de San Juan* **maggiolino**.

¿Y sabías que los niños italianos no juegan a la gallinita ciega, sino a *la mosca ciega* **giocare a moscacieca**?

1. tavolo : tavolino =
   gatto : ○○○○○○○

2. magro : magrolino =
   sasso : ○○○○○○○○○

3. camera : cameretta =
   bacio : ○○○○○○○

4. storia : storiella =
   albero : ○○○○○○○○○

5. scarpa : scarpetta =
   casa : ○○○○○○○

1. gattino
2. sassolino
3. bacetto
4. alberello
5. casetta

A parte del sufijo **-ino**, que ya conoces, puedes emplear también **-ello**, **-etto** y **-lino** para transformar palabras en diminutivos. Sin embargo, también existen palabras que parece que contengan un sufijo de diminutivo, pero que son palabras independientes, como: **cuscino**, **lavandino**, **cervello**, **addetto**, **affetto**.

→

1. isla
5. Dolomitas
6. río
7. tierra

↓

2. lago
3. montañas
4. colinas

Solución

1 I	S	O	2 L	A		3 M	
			A			O	
	4 C		G			N	
5 D	O	L	O	M	I	T	I
	L					A	
	L					G	
6 F	I	U	M	E		N	
	N					E	
7 T	E	R	R	A			

Desde 2009 las Dolomitas **Dolomiti** son Patrimonio Cultural y Natural de la UNESCO. Estas montañas se extienden por las provincias de Trento, Bolzano, Belluno, Pordenone y Udine. La altura media de las cumbres oscila alrededor de los 3 000 m. Una de las más altas es **La Marmolada** (3 342 m). **Le Tofane** (3 243 m) es una de las más famosas por su belleza y por su significado histórico durante la Primera Guerra Mundial.

Patrimonio Culturale dell'Umanità –
Patrimonio Cultural de la Humanidad
Patrimonio Naturale dell'Umanità –
Patrimonio Natural de la Humanidad

1. Encuentra las 8 palabras ocultas.

B	U	L	O	E	G	L	S	N
T	E	M	P	O	R	A	L	E
R	A	F	A	O	A	M	G	B
S	F	U	R	M	N	P	N	B
O	A	R	E	Z	D	O	C	I
P	I	O	G	G	I	A	A	A
F	U	L	M	I	N	E	O	P
N	U	V	O	L	E	L	M	E
A	R	U	G	I	A	D	A	R

B	U	L	O	E	G	L	S	N
T	E	M	P	O	R	A	L	E
R	A	F	A	O	A	M	G	B
S	F	U	R	M	N	P	N	B
O	A	R	E	Z	D	O	C	I
P	I	O	G	G	I	A	A	A
F	U	L	M	I	N	E	O	P
N	U	V	O	L	E	L	M	E
A	R	U	G	I	A	D	A	R

¿Todavía te acuerdas? ¡Detrás de **qualche** se emplea *siempre* el singular!

Nel cielo c'è ancora qualche nuvola.
Ha qualche cosa di particolare.

¡UNA INTRUSA!

1.	alba	tramonto	rosso	aurora
2.	trota	uccello	branzino	orata
3.	burro	caffè	latte	panna
4.	melo	pero	giardino	pino
5.	lavoro	teatro	museo	cinema

1. alba tramonto ~~rosso~~ aurora
2. trota ~~uccello~~ branzino orata
3. burro ~~caffè~~ latte panna
4. melo pero ~~giardino~~ pino
5. ~~lavoro~~ teatro museo cinema

Si no hay **smog** (*esmog* de contaminación), entonces deberían ayudar estos refranes para determinar el tiempo atmosférico desde por la mañana:

Rosso di sera bel tempo si spera.
Rubión de cena, buen día se espera.
Rosso di mattina la pioggia si avvicina.
Aurora rubia, o viento o lluvia.

brut

do

to

lor

go

si

go

lun

no

lar

rro

bu

a

1. ______________________________

2. ______________________________

3. ______________________________

4. ______________________________

5. ______________________________

6. ______________________________

brutto
lordo
largo
lungo
burro
asino

Existen palabras italianas que suenan igual que las españolas, pero tienen un significado completamente diferente. Esto puede dar lugar a divertidos malentendidos. Aprende los llamados "falsos amigos" y así evitarás llamar a alguien **brutto** *feo* en lugar de **lordo** *bruto, rudo*.

patente – *carnet de conducir*
brevetto – *patente*
gamba – *pierna*
gamberetto – *gamba*

1. Che cosa facciamo questo fine settimana?

C	T	A
A	M	M
A	N	I

Se c'è bel tempo, possiamo

fare una ____________

in montagna.

2. A che ora partiamo?

M	A	N
A	T	T
I	T	A

In ____________ .

Dopo aver fatto colazione.

3. Ricordati di far benzina perché la macchina è in riserva.

N	O	I
Z	B	I
A	N	E

Ok. Quando vado al supermercato passo anche dal

____________ .

1. Se c'è bel tempo, possiamo fare una camminata in montagna.
2. In mattinata. Dopo aver fatto colazione.
3. Ok. Quando vado al supermercato passo anche dal benzinaio.

¿Cómo se emplea **quando** y **se**? Es muy fácil, ya que es igual que en español:

Quando significa *cuando*, *en cuanto* y se usa con sucesos seguros que tienen lugar en el futuro:
Quando vado in libreria compro un fumetto.

Se significa *si*, *en caso de* y expresa una posibilidad hipotética que no es segura:
Se vado in libreria compro un fumetto.

LOS CONTRARIOS

alto

attacco

regolare

sereno

proibire

permettere

nuvoloso

basso

irregolare

difesa

alto	—	basso
attacco	—	difesa
regolare	—	irregolare
sereno	—	nuvoloso
proibire	—	permettere

Algunos adjetivos que comienzan con **r**, como **reale**, **responsabile**, **razionale**, forman su antónimo, como en español, con el prefijo **ir-**: **irreale**, **irresponsabile**, **irrazionale**.

EN EL REMOLINO

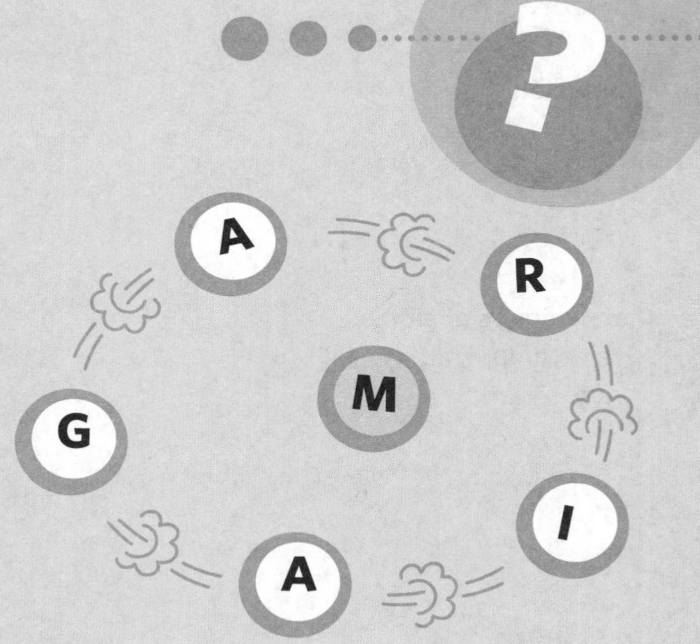

magari,

Si no estás seguro de que existe una palabra,
búscala en un diccionario.

Soluciones posibles:
mira, ama, grami,
rami, grama, ...

Magari! Los italianos emplean esta palabra muy a menudo. Significa muchas veces *ojalá*:

— È tua quella macchina? — Magari!

También puede significar *quizás*. En este caso expresa un deseo: **Magari ci vediamo dopo.**

pro o ga no
de ta
ti ri mi gi
na
cia ne dot con
tà zio trol ne la
to li ran ta
spe

1. ______________________________

2. ______________________________

3. ______________________________

4. ______________________________

5. ______________________________

6. ______________________________

denominazione
origine
controllata
prodotto
specialità
garantita

La cocina italiana es muy apreciada y conocida. Es muy original, rápida y fresca. Se pueden preparar platos sabrosos con pocos ingredientes y sin muchos cachivaches. Si vas de compras encontrarás muchas abreviaturas que informan acerca del origen de los productos. ¿Las conoces todas?

dop **d**enominazione di **o**rigine **p**rotetta
igp **i**ndicazione **g**eografica **p**rotetta
igt **i**ndicazione **g**eografica **t**ipica
stg **s**pecialità **t**radizionale **g**arantita

1. Sai quante regioni ci sono in Italia? Certo sono v○○○i.

2. In che regione scorre il Tevere? Nel L○○○o.

3. Hai visto i Trulli di Alberobello? Sì, sono in P○○○○a.

4. L'isola più a sud dell'Italia è la S○○○○○a.

5. L'università più antica si trova a Bologna in E○○○○a R○○○○○a.

1. venti
2. Lazio
3. Puglia
4. Sicilia
5. Emilia Romagna

Seguramente, el nombre **Giuseppe Garibaldi** (1807-1882) te resulta conocido: todas las ciudades de Italia le han dedicado una **piazza** o **via** (piazza Garibaldi, corso Garibaldi, etc.). El **17 de marzo de 1861** Giuseppe Garibaldi consiguió la unificación de Italia, que entonces aún tenía su capital en Turín. Roma se conquistó en el 1870 y, un año más tarde, pasó a ser la capital del país.

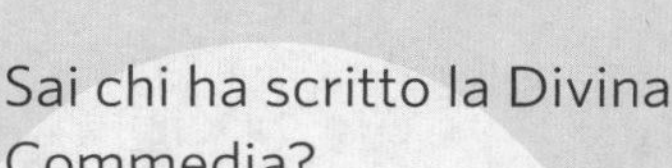

1. Sai chi ha scritto la Divina Commedia?

A	I	E
L	G	H
I	R	I

Sì, certo, è stato Dante ______________.

2. Sai chi ha contribuito all'unificazione dell'Italia?

G	A	R
I	D	L
I	B	A

Sì. È stato Giuseppe ______________.

3. Sai chi canta la canzone "Penso positivo"?

T	O	I
N	J	O
A	V	T

Ma certo.

È ______________, nome d'arte di Lorenzo Cherubini.

1. Sì, certo, è stato Dante Alighieri.
2. Sì. È stato Giuseppe Garibaldi.
3. Ma certo. È Jovanotti, nome d'arte di Lorenzo Cherubini.

El italiano, al igual que el resto de lenguas románicas, procede del latín vulgar, que era la lengua que hablaba el pueblo en cada región del imperio romano.
En el siglo XIII y XIV escritores como **Petrarca**, **Boccaccio** y **Dante Alighieri** emplearon la variante toscana, cuando Florencia era un gran centro cultural. A través de su obra, este dialecto cobró gran influencia y se erigió como base del italiano estándar.

EN EL REMOLINO

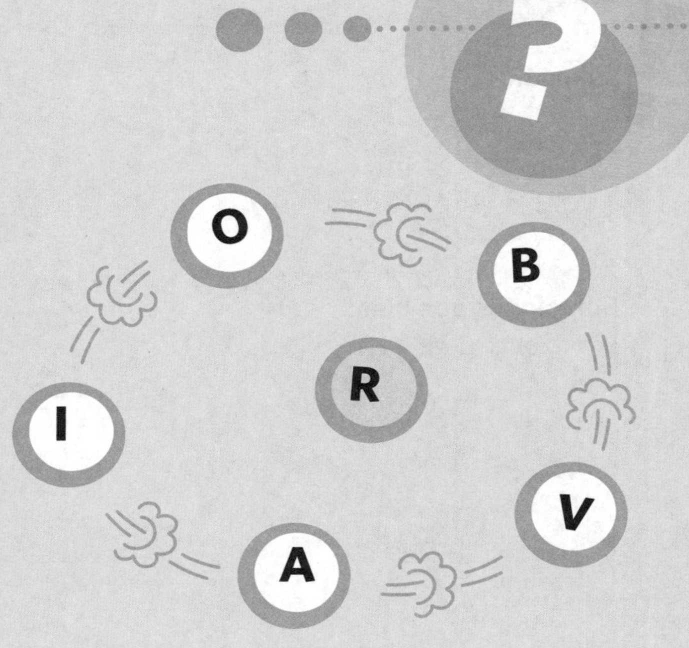

bravo,

Si no estás seguro de que existe una palabra, búscala en un diccionario.

Soluciones posibles:
bravi, biro, riva,
rovi, ...

Bravissimi! Complimenti!

Has conseguido hacer todos los **cruciverba** *crucigramas*, **anagrammi**, **rebus**, **rompecabezas**, etc.